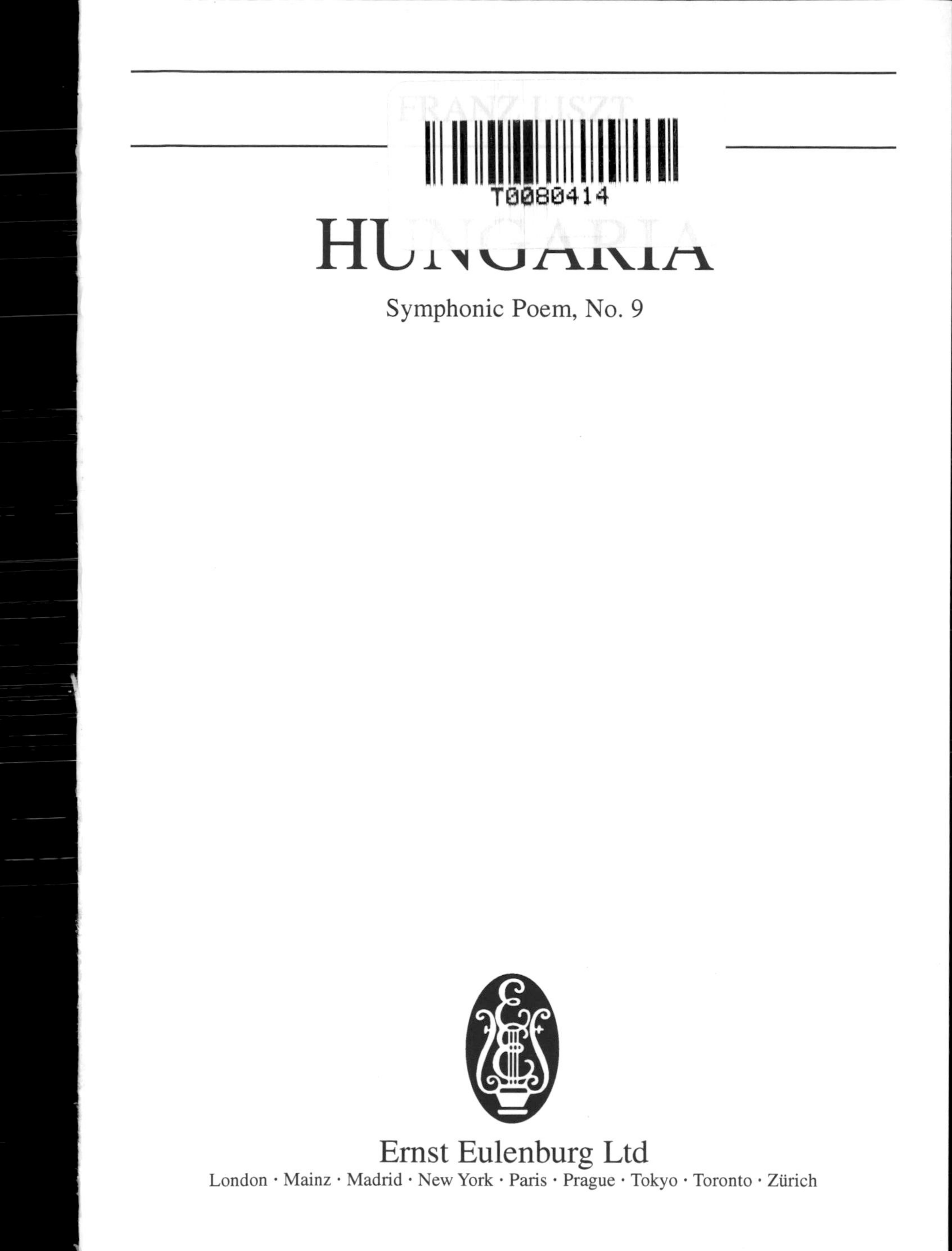
FRANZ LISZT
T0080414
HUNGARIA
Symphonic Poem, No. 9
Ernst Eulenburg Ltd
London · Mainz · Madrid · New York · Paris · Prague · Tokyo · Toronto · Zürich

*Revised with corrections, 1976.*

# FRANZ LISZT

## Hungaria

Like *Héroïde Funèbre*, *Hungaria* had its origins in the revolutionary movements of 1848 – in this case in Kossuth's revolt in Hungary. However Liszt did not complete the score until 1854, and he himself conducted the first performance at the Hungarian National Theatre, Budapest, on 8 September 1856 with enormous success. The MS is in the Weimar Goethe-Schiller Archiv.

Liszt provided no preface, but he regarded it, together with some of his other Hungarian works such as the *Hungaria* Cantata of 1848 and *Funérailles* of 1849, as a reply to the poem of homage which the patriotic poet Mihály Vörösmarty had dedicated to him on the occasion of his first Hungarian concert tour in 1840. The work can best be regarded as a Hungarian Rhapsody on a large scale.

After a slow, rather gloomy introduction the main theme begins in bar 18. This was taken from the *Heroic March in the Hungarian Style* which Liszt wrote for the piano in 1840. There is a short slow interlude at bar 47. The march theme returns and dominates the whole of the opening section in various forms, including an inverted form in bar 79. In bar 135 there is a passage for solo violin in the gipsy style, and a similar one in bar 145. Then the march theme works up to a climax and introduces the second main theme in bar 207; this also comes from the *Heroic March in the Hungarian Style*, where it appears in triplet rhythm instead of repeated quavers as here. A third Hungarian theme appears in bar 219, and this is followed by references to the first two march themes. A more agitated section begins in bar 288, but it still contains references to the first march theme, which returns more or less in its original form in bar 337. The second march theme reappears in bars 371 and 380, now combined with phrases from the first one and its inversion, and the music reaches a climax in bar 387 with the reappearance of the third theme. Then it dies down, and another slow interlude, similar to that at bar 47, leads to a section in the style of a funeral march in bar 425. This is mainly based on the second march theme, combined with descending phrases derived from the inverted form of the first one; no doubt it is a lament for the defeat of Kossuth's forces by the

Austrians. In bar 462 the first march theme returns in an Allegro marziale, and the music becomes more and more excited, symbolising the idea that one day Hungary would escape from her bondage and be liberated by her own people. The other march themes return triumphantly in bars 563 and 579. Finally a new Hungarian theme appears in bar 601 and leads to a brilliant conclusion.

HUMPHREY SEARLE 1975

Dynamics etc. in round brackets are additions first made in the never-completed Collected Works edition of 1907–36, from which this Eulenburg score derives. Additions in square brackets were made during the revision of 1976. (But the brackets round *gestopft* in bar 335 are Liszt's.) As in most of the symphonic poems R - - - - and A - - - - indicate a very slight ritardando and accelerando; this is explained in the footnote on page 6.

*b*79 1.V: The footnote states that note 2 must *not* be shortened (in accordance with the old Baroque convention) but given its full length and accented.

*b*130 Fl.: the flat is not in the first edition nor in Liszt's piano arrangement.

*b*261 Tr. & Tps.: Liszt must have meant note 1 to be double-dotted.

*b*288–303 Tps.: The ingenious slurs are not, and cannot be, indicated in the parts.

To shorten the piece Liszt suggests that bars 288–461 can be replaced by the 6 bars on pp. 118–9; less drastically, bars 288–394 can be cut if bar 287 is replaced by the one on p. 120. Neither cut is to be recommended.

Thanks are due to Norman Del Mar for his help in revising this score.

Time for performance: 22–23 minutes.

# FRANZ LISZT

## Hungaria

Ebenso wie der *Heroïde Funèbre*, lag auch *Hungaria* die revolutionäre Bewegung des Jahres 1848 zu Grunde – und zwar handelte es sich hier um Kossuths Aufstand in Ungarn. Liszt vollendete die Partitur jedoch erst 1854, und er dirigierte die Uraufführung selbst mit grossem Erfolg am 8. September 1856 im ungarischen Nationaltheater zu Budapest. Das Manuskript befindet sich im Weimarer Goethe-Schiller-Archiv.

Liszt hat zu diesem Werk kein Vorwort geschrieben, aber er betrachtete es, zusammen mit einigen seiner anderen ungarischen Kompositionen, wie z.B. die Kantate *Hungaria* aus dem Jahre 1848 und die 1849 geschriebenen *Funérailles*, als eine Antwort auf das Huldigungsgedicht, das der patriotische Dichter Mihály Vörösmarty ihm, zu Anlass seiner ersten Konzerttournee in Ungarn im Jahre 1840, gewidmet hatte. Das Werk lässt sich am besten als eine ungarische Rhapsodie grossen Ausmasses bezeichnen.

Nach einer langsamen, ziemlich bedrückenden Einleitung beginnt das Hauptthema im T. 18. Es ist dem *Heroischen Marsch im Ungarischen Stil* für Klavier entnommen, den Liszt 1840 geschrieben hat. Ein kurzes, langsames Zwischenspiel beginnt in T. 47. Das Marschthema tritt wieder auf und dominiert in verschiedenen Fassungen, darunter eine Umkehrung in T. 79, den ganzen Anfangsteil. Im T. 135 beginnt eine Passage für Solovioline im Zigeunerstil; eine ähnliche Passage steht im T. 145. Darauf strebt das Marschthema einem Höhepunkt zu, und im T. 207 tritt das zweite Hauptthema auf, das ebenfalls aus dem *Heroischen Marsch im Ungarischen Stil* stammt, wo es aber in Triolen, und nicht wie hier in wiederholten Achteln, steht. Ein drittes ungarisches Thema erscheint im T. 219, gefolgt von Motiven aus den ersten beiden Marschthemen. Im T. 288 beginnt ein lebhafterer Abschnitt, in dem jedoch das erste Marschthema immer noch auftaucht und mehr oder weniger in seiner ursprünglichen Form im T. 337 wiederkehrt. Auch das zweite Marschthema erscheint wieder in T. 371 und 380, doch ist es hier mit Motiven aus dem ersten, und mit seiner Umkehrung, verbunden. Mit einer Wiederholung des dritten Themas im T. 387 ist der Höhepunkt erreicht. Danach klingt die Musik ab, und ein weiteres Zwischenspiel das dem im T. 47 gleicht, führt im T. 425 zu einem Abschnitt im Stil eines Trauermarschs. Er beruht in der Hauptsache auf dem zweiten Marschthema, in Verbindung mit absteigenden Phrasen, die der Umkehrung des ersten entnommen sind. Zweifellos handelt es sich hier um ein Klagelied über die Niederlage von Kossuths Heer im Kampf mit den Österreichern. T. 462 bringt das erste Marschthema erneut in einem Allegro marziale. Die Musik wird immer erregter und symbolisiert den Gedanken, dass Ungarn eines Tages seine Fesseln abwerfen und von seinem eigenen Volk befreit werden möge. Die anderen Marschthemen erscheinen wieder in triumphaler Form im T. 563 und 579. Schliesslich führt ein neues ungarisches Thema vom T. 601 an das Werk einem glänzenden Abschluss entgegen.

HUMPHREY SEARLE 1975
Deutsche Übersetzung Stefan de Haan

# Hungaria.

## Symphonische Dichtung Nº 9.

Franz Liszt
1811-1886

E.E. 3635

Ernst Eulenburg Ltd.
London - Zurich

A
Kl.Fl.
Fl.
Hb.
E. H.
Kl.
Fg.
Hr. (F)
Tr. (F)
Tps.
Bps. Tb.
Pk.
1. V.
2. V.
Br.
Vc. Kb.
a 2.
cresc.
cresc.
rinf.
rinf.
A

NB. Bei allen punktierten Figuren ♩. ♬ ♩. ♬ die 16tel gehalten und die 32tel kurz (fast wie Vorschläge).

27
Hb.
Kl.
Fg.
Hr. (F)
Pk.
1.V.
2.V.
Br.
Vo.
Kb.
1.2. Solo
arco
marcato
pizz.
arco
1.2.
pizz.
arco
(I. mf)
(II. mf)
(II. f)

Die Buchstaben R. . . . und A. . . . bedeuten geringe Ritardandi und Accelerandi, so zu sagen: leise crescendi und diminuendi des Rhythmus.

44
B poco rall.
Largo con duolo.
Fl.
Hb.
E. H.
Kl.
Fg.
Hr. (F)
1. V.
2. V.
Br.
Vc. Kb.
a 2.
3. 4.
p espress.
(p) espress.
(mf)
(p)
pp
B poco rall.
A.
espress.
1. 2.
Vc.

57
Quasi Andante marziale.
Hb.
Kl.
Fg.
Hr. (F)
Pk.
1.V.
2.V.
Br.
Vo.
Kb.
mf marcato
pizz.
arco
(I. mf)
(II. f)

R
65
Hb.
Kl.
Fg.
Hr. (F)
1.V.
2.V.
Br.
Vc. Kb.
più f
R
C
Fl.
Kl.
Fg.
Hr. (F)
1.V.
2.V.
Br.
Vc. Kb.
R
C

*) Das erste Sechzehntel ist in dieser Figur nirgends als Zweiunddreißigstel zu spielen, sondern breit und klagend zu accentuieren.

84
Fl.
Hb.
Kl.
Fg.
1.V.
2.V.
Br.
Vc.
Kb.
arco
arco
Poco animando.
Kl.Fl.
Fl.
Hb.
Kl.
Fg.
Hr. (F)
1.2.
1.V.
2.V.
Br.
Vc.
Kb.
p leggiero
p leggiero
p leggiero
p leggiero
(p)
(p)
arco

91
Kl.Fl.
Fl.
Hb.
Kl.
Fg.
1.2.
Hr. (F)
1.V.
2.V.
Br.
Vc.
Kb.
mf
p
(p)
cresc. molto
cresc. molto
cresc. molto
cresc. molto
cresc. molto
cresc. molto
cresc. molto
cresc. molto
cresc. molto
cresc. molto

97
Kl.Fl.
Fl.
Hb.
Kl.
Fg.
Hr.
1.V.
2.V.
Br.
Vc.
Kb.
a 2.
1.2.
impetuoso
R.
p plintivo
dim.
pizz.
(dim.

106
Hb.
E.H.
Kl.
Fg.
1.V.
2.V.
Br.
Vc.
Kb.
p tranquillo
p tranquillo
p tranquillo
(II. p)
Fl.
Hb.
E.H.
Kl.
Fg.
Hr. (F)
1.V.
2.V.
Br.
Vc. Kb.
a 2.
1.2.
arco
f impetuoso
f impetuoso
f impetuoso
(f)

115
a 2.
Fl.
p plintivo
dim.
Hb.
Kl.
Fg.
pizz.
1.V.
2.V.
Br.
Vc.
Kb.
p tranquillo
(II. p)
E.H.

126
Fl.
Hb.
Kl.
Fg.
1.2.
Hr.
(F)
1.V.
2.V.
Br.
Vc.
Kb.
p
p
arco
pizz.
(p)
pizz.
D
dim.
(p) espress.
arco
div.
pizz.
Solo

136
Fl.
1.V.
2.V.
Br.
Vc.
Kb.
pp
div.
pizz.
p
poco rall.
dim.
pp
Cadenza ad lib.
rinf.
dim.
perdendo
R.
Tutti
(p) espress.
arco
(p)
arco
B
Solo
pizz.
(p)
Vc.
Kb.
(p)
R.

146
Fl.
1.V.
2.V.
Br.
Vc.
Kb.
pp
pizz.
(p)
poco rall.
Cadenza ad lib.
dim.
pp
rinf.
dim.
perdendo
Agitato (un poco più mosso).
Fg.
a 2.
f marcato
Hr.
(F)
f
Tutti
f appassionato
arco
trem.
mp
Vc.
Kb.
arco
f marcato

157
a 2.
Kl.
f marcato
a 2.
Fg
Hr.
(F)
mf
f
1.V.
2.V.
Br.
mp
Vc.
f marcato
Kb.
E
Fl.
Hb.
Kl.
a 2.
Fg.
a 2.
Hr.
(F)
mf
a 2.
1.V.
(f)
2.V.
fp
Br.
fp
Vc.
Kb.
E

166
Fl.
Hb.
Kl.
Fg.
Hr. (F)
1.V.
2.V.
Br.
Vc.
Kb.
a 2.
f
fp
ff
mf sempre più agitato
div.
cresc.
mp
p

176
a 2.
Fl.
rinforz. molto
Hb.
rinforz. molto
a 2.
E. H.
Kl.
Fg.
a 2.
Hr. (F)
Tr. (F)
1. 2.
(mf)
Tps.
(mf)
Bps. Tb.
(mf)
Pk.
1. V.
rinforz. molto
2. V.
rinforz. molto
Br.
rinforz. molto
Vc.
cresc.
rinforz. molto
Kb.
cresc.
rinforz. molto

181
a 2.
Fl.
a 2.
Hb.
E. H.
(f)
Kl.
a 2.
Fg.
Hr.
(F)
1. 2.
Tr.
(F)
Tps.
Bps.
Tb.
Pk.
1. V.
2. V.
Br.
Vc.
Kb.

Fl.
a 2.
Hb.
a 2.
E. H.
Kl.
a 2.
Fg.
Hr. (F)
a 2.
Tr. (F)
1. 2.
Tps.
Bps. Tb.
in Fis, H, Dis
Pk.
1. V.
2. V.
Br.
Vc.
Kb.
div.

187
F
a 2.
Fl.
Hb.
E.H.
Kl.
Fg.
Hr.
(F)
Tr.
(F)
1.2.
Tps.
Bps.
Tb.
Pk.
1.V.
2.V.
Br.
Vc.
Kb.
cresc.
F

Fl.
Hb.
E. H.
Kl.
Fg.
Hr. (F)
Tr. (F)
Tps.
Bps. Tb.
Pk.
1. V.
2. V.
Br.
Vc.
Kb.
a 2.
molto
cresc. molto
(f) più cresc.
1. 2.
poco a poco cresc.
tr

195
a 2.
Fl.
Hb.
E.H.
Kl.
Fg.
Hr.
(F)
1.2.
Tr.
(F)
Tps.
Bps.
Tb.
Pk.
1.V.
2.V.
Br.
Vc.
Kb.

a 2.
Fl.
Hb.
E.H.
Kl.
Fg.
Hr.
(F)
ff
1.2.
Tr.
(F)
Tps.
Bps.
Tb.
Pk.
1.V.
2.V.
Br.
Vc.
Kb.

203
Fl.
Hb.
E. H.
Kl.
Fg.
Hr. (F)
Tr. (F)
Tps.
Bps. Tb.
Pk.
1. V.
2. V.
Br.
Vc.
Kb.
a 2.
1. 2.
rinf. assai
rinf. assai
rinf. assai
rinf. assai
rinf. assai

* Der Rhythmus scharf markiert.

211
Fl.
Hb.
E.H.
Kl.
Fg.
Hr.
(F)
Tr.
(F)
Tps.
Bps.
Tb.
Pk.
ff
1.V.
2.V.
Br.
Vc.
Kb.

un poco stringendo
Fl.
Hb.
E. H.
Kl.
Fg.
Hr. (F)
Tr. (F)
Tps.
Bps. Tb.
Pk.
1.V.
2.V.
Br.
Vc.
Kb.
risoluto
a 2.
cresc.
un poco stringendo

219
Vivo.
a 2
Fl.
Hb.
E.H.
Kl.
Fg.
a 2.
Hr.
(F)
Tr.
(F)
Tps.
Bps.
Tb.
Pk.
Mtr.
Bk.
(f)
auf
ab
1.V.
2.V.
Br.
Vc.
Kb.

a 2.
G
Fl.
Hb.
E.H.
Kl.
Fg.
Hr. (F)
Tr. (F)
Tps.
Bps. Tb.
Pk.
Mtr.
Bk.
1.V.
2.V.
Br.
Vo.
Kb.
pizz.
pizz.
G

228
Fl.
Hb.
E.H.
Kl.
Fg.
Hr. (F)
Tr. (F)
Tps.
Bps. Tb.
Pk.
Trgl.
1.V.
2.V.
Br.
Vc.
Kb.
pizz.
pizz.
pizz.
mf
p
f

232
Fl.
Kl.
Fg.
Trgl.
1.V.
2.V.
Br.
Vc.
Kb.
dim.
p
Solo
arco
(p)
R.
Tutti
(mf)
pizz.
mf espressivo

242
Allegro moderato.
Fl.
Hb.
E.H.
Kl.
Fg.
Hr. (F)
ten.
(IV.
Tr. (F)
Tps.
Bps. Tb.
Pk.
pizz.
1.V.
2.V.
Br.
Vc.
Kb.

Fl.
Hb.
E.H.
Kl.
Fg.
Hr.
(F)
Tr.
(F)
Tps.
Bps.
Tb.
Pk.
p
1.V.
2.V.
Br.
Vc.
Kb.

250
un poco stringendo
a 2.
Fl.
risoluto
Hb.
E.H.
risoluto
Kl.
Fg.
risoluto
a 2.
Hr. (F)
a 2.
a 2.
Tr. (F)
Tps.
Bps. Tb.
Muta in B. H. Dis.
Pk.
(Bei Kürzung des Stückes Muta in A. C. D.)
arco
1.V.
cresc.
arco
2.V.
cresc.
arco
Br.
cresc.
arco
Vc.
cresc.
arco
Kb.
cresc.
un poco stringendo

Vivo.
a 2.
Fl.
Hb.
E. H.
Kl.
Fg.
a 2.
Hr. (F)
Tr. (F)
Tps.
Bps. Tb.
Pk.
Mtr.
(f)
Bk.
(f)
auf
ab
1.V.
2.V.
Br.
Vc.
Kb.

257
a 2.
H
Fl.
Hb.
E.H.
Kl.
Fg.
Hr. (F)
Tr. (F)
Tps.
Bps. Tb.
Pk.
Mtr.
Bk.
1.V.
2.V.
Br.
Vc.
Kb.
(mf)
pizz.
f
H

Fl.
Hb.
E. H.
Kl.
Fg.
Hr. (F)
Trgl.
1. V.
2. V.
Br.
Vc.
Kb.
mf
p
pizz.
f
Fl.
Kl.
Trgl.
1. V.
2. V.
Br.
Vc.
Kb.
dim.
Solo
arco
(F)
R

271
Kl.
Fg.
1.V.
2.V.
Br.
Vc.
Kb.
arco
arco
mf espressivo
Un poco animato.
Hb.
Kl.
Fg.
1.2.
Tr. (F)
cresc.
Tutti
arco
1.V.
arco
2.V.
Br.
Vc.
pizz.
Kb.

281
Hb.
Kl.
Fg.
1.2.
Tr. (F)
(II. mf)
1.V.
2.V.
Br.
Vc.
Kb.
cresc.
arco
A
a 2.
Fl.
E. H.
(mf)

288
Agitato molto.
I
Kl.
Fg.
Hr. (F)
Tr. (F)
Tps.
Bps. Tb.
1. V.
2. V.
Br.
Vc. Kb.
ten.
Agitato molto.
Fl.
Hb.
rinf.

Kl.
Fg.
1.2.
Hr. (F)
1.2.
Tr. (F)
Tps.
(p)
Bps. Tb.
(p)
ten.
1.V.
ten.
2.V.
Br.
Vc. Kb.
Fl.
Hb.
Kl.
Fg.
1.2.
Hr. (F)
1.2.
Tr. (F)
Bps. Tb.
1.V.
rinf.
2.V.
Br.
Vc. Kb.

300
Kl. Fl.
Fl.
a 2.
Hb.
E. H.
Kl.
Fg.
Hr. (F)
1.2.
Tr. (F)
Tps.
(p)
Bps. Tb.
Pk.
ten.
1.V.
2.V.
Br.
Vc.
Kb.

J
Kl Fl.
Fl.
a 2.
Hb.
E. H.
Kl.
Fg.
Hr. (F)
Tr. (F)
1. 2.
Tps.
Bps. Tb.
cresc.
Pk.
1. V.
2. V.
Br.
Vc.
Kb.
ff

306
Kl.Fl.
Fl.
a 2.
Hb.
E. H.
Kl.
Fg.
Hr. (F)
Tr. (F)
1 2
Tps.
Bps. Tb.
Pk.
1.V.
2.V.
Br.
Vc.
Kb.

Kl. Fl.
Fl.
a 2.
Hb.
E. H.
Kl.
Fg.
Hr. (F)
Tr. (F)
1. 2.
(f)
Tps.
f
Bps. Tb.
in B. H. Dis.
Fk.
1. V.
2. V.
Br.
Vc.
ff
Kb.

313
Kl.Fl.
a 2.
Fl.
Hb.
E. H.
Kl.
Fg.
Hr. (F)
1.2.
Tr. (F)
Tps.
Bps. Tb.
Pk.
cresc.
1. V.
2. V.
Br.
Vc.
Kb.

accelerando
Kl. Fl.
a 2.
Fl.
Hb.
E. H.
Kl.
Fg.
a 2.
Hr. (F)
a 2.
1.2.
Tr. (F)
Tps.
Bps. Tb.
Pk.
impetuoso
1. V.
impetuoso
2. V.
Br.
impetuoso
Vc.
impetuoso
Kb.
impetuoso
accelerando

320
Fl.
Hb.
Kl.
Fg.
Hr. (F)
1. V.
2. V.
Br.
Vc.
Kb.
a 2.
impetuoso
stacc.
Fl.
Hb.
Kl.
Fg.
Hr. (F)
1. V.
2. V.
Br.
Vc.
Kb.
a 2.

329
a 2.
Fl.
Hb.
E.H.
Kl.
Fg.
Hr. (F)
Pk.
1.V.
2.V.
Br.
Vc.
Kb.
sempre stacc.
dim.
pizz.
K Più mosso (ma poco).
(gestopft)
div.
(p marcato)
p leggiero
K

339
Hb.
Kl.
a 2.
Fg.
1.V.
2.V.
Br.
Vc.
Kb.
p
f
dim.
pizz.

Kl.Fl.
Fl.
mf marcato
espressivo
a 2.
Hb.
mf
E. H.
(p)
a 2.
espressivo
Kl.
mf
Fg.
Hr.
(F)
1.2.
Tr.
(F)
Tpe.
Bps.
Tb.
Pk.
4 erste Viol.
pizz.
mf
arco
1.V.
Die Übrigen.
p
2.V.
p
Br.
p
Vc.
p
arco
Kb.
leggiero

348
Kl.Fl.
(mf)
Fl.
a 2.
Hb.
a 2.
E.H.
dim.
a 2.
Kl.
Fg.
Hr.
(F)
mf
mf
1.2.
Tr.
(F)
Tps.
Bps.
Tb.
Pk.
Bk.
p
pizz.
mf
1.V.
p
2.V.
p
Br.
p
Vo.
p
pizz.
Kb.
p

Kl.Fl.
Fl.
a 2.
Hb.
a 2.
cresc.
E H.
(mf)
Kl.
a 2.
cresc.
Fg.
cresc.
Hr. (F)
Tr. (F)
1.2.
Tps.
mf
Bps. Tb.
mf
Pk.
Bk.
(f)
1.V.
arco
cresc.
etc.
2.V.
cresc.
Br.
cresc.
Vc.
cresc.
Kb.
arco
cresc.

354
Kl.Fl.
a 2.
Fl.
Hb.
E.H.
a 2.
Kl.
a 2.
Fg.
a 2.
Hr.
(F)
1.2.
Tr.
(F)
Tps.
Bps.
Tb.
Pk.
Bk.
1.V.
più forte
2.V.
più forte
Br.
più agitato e forte
Vc.
più agitato e forte
Kb.
più agitato e forte

Kl. Fl.
Fl.
a 2.
Hb.
E. H.
Kl.
a 2.
Fg.
Hr. (F)
a 2.
Tr. (F)
1. 2.
ten.
Tps.
Bps. Tb.
Pk.
1. V.
2. V.
Br.
Vc.
Kb.

360
Kl.Fl.
a 2.
Fl.
Hb.
E. H.
a 2.
Kl.
Fg.
a 2.
Hr.
(F)
1.2.
ten.
ten.
Tr.
(F)
Tps.
Bps.
Tb.
Pk.
1.V.
f
f
f
pizz.
2.V.
f
f
f
pizz.
Br.
Vc.
Kb.

L
Kl.Fl.
Fl.
Hb.
E.H.
a 2.
Kl.
Fg.
Hr. (F)
1.2.
ten.
Tr. (F)
Tps.
Bps. Tb.
Pk.
Tm.
arco
pizz.
p tempestoso
1. V.
2. V.
Br.
Vc.
Kb.
L

366
Kl.Fl.
Fl.
a 2.
p
cresc.
Hb.
E.H.
Kl.
cresc.
Fg.
Hr. (F)
1.2.
Tr. (F)
Tps.
Bps. Tb.
tr
Pk.
cresc.
Tm.
1.V.
cresc.
2.V.
cresc.
Br.
cresc.
Vc.
6
Kb.
6

Kl. Fl.
Fl.
a 2.
Hb.
E. H.
Kl.
Fg.
ff marcato, largamente
Hr. (F)
Tr. (F)
1. 2.
3.
Tps.
a 2.
f marcato, largamente
Bps. Tb.
f marcato, largamente
(f)
Pk.
Bk.
p cresc.
Gr. Tr.
mf
1. V.
2. V.
Br.
Vc.
ff marcato, largamente
Kb.
ff marcato, largamente

372
Kl.Fl.
a 2.
Fl.
Hb
E.H.
Kl.
Fg.
Hr.
(F)
Tr.
(F)
a 2.
Tps.
Bps.
Tb.
Pk.
Bk.
Gr.Tr.
Tm.
1.V.
2.V.
Br.
Vo.
Kb.

Kl.Fl.
Fl.
a 2
p
cresc.
Hb.
E.H.
Kl.
p
cresc.
Fg.
Hr. (F)
Tr. (F)
Tps.
Bps. Tb.
Pk.
tr
cresc.
Tm.
1.V.
cresc.
2.V.
cresc.
Br.
cresc.
Vc.
6
Kb.
6

378
Kl.Fl.
Fl.
a 2.
Hb.
E.H.
Kl.
Fg.
ff marcato, largamente
Hr. (F)
Tr. (F)
Tps.
a 2.
f marcato, largamente
Bps. Tb.
f marcato, largamente
Pk.
(f)
Bk.
p cresc.
Gr.Tr.
mf
1. V.
2. V.
Br.
Vc.
ff marcato, largamente
Kb.
ff marcato, largamente

Kl. Fl.
a 2.
Fl.
Hb.
E. H.
Kl.
Fg.
a 2.
Hr. (F)
a 2.
a 2.
Tr. (F)
a 2.
Tps.
Bps. Tb.
Pk.
Bk.
Gr. Tr.
Tm.
1. V.
2. V.
Br.
Vc.
Kb.

384
Kl.Fl.
a 2.
Fl.
Hb.
E. H.
Kl.
Fg.
a 2.
a 2.
Hr.
(F)
a 2.
Tr.
(F)
Tps.
Bps.
Tb.
Pk.
3
3
Bk.
Gr.Tr.
Tm.
1.V.
2.V.
Br.
Vc.
Kb.

Stringendo.
Kl.Fl.
a 2.
Fl.
Hb.
E. H.
a 2.
Kl.
Fg.
a 2.
Hr.
(F)
a 2.
a 2.
a 2.
Tr.
(F)
Tps.
Bps.
Tb.
Pk.
(sec.)
(sec.)
Mtr.
Bk.
Gr.Tr.
1.V.
2.V.
Br.
Vc.
Kb.
Stringendo.

390
Kl.Fl.
Fl.
a 2.
Hb.
E. H.
Kl.
a 2.
Fg.
a 2.
Hr.
(F)
a 2.
a 2.
Tr.
(F)
a 2.
Tps.
Bps.
Tb.
Pk.
3
(sec.)
Mtr.
Bk.
Gr.Tr.
1. V.
2. V.
Br.
Vc.
Kb.

Kl.Fl.
Fl.
a 2.
Hb.
E.H.
Kl.
Fg.
Hr. (F)
Tr. (F)
Muta in D.
Tps.
Bps. Tb.
Pk.
Muta in A.C.D.
Mtr.
Bk.
Gr.Tr.
1.V.
2.V.
Br.
Vc.
Kb.

400
Kl.
Fg.
Tps.
Bps.
Tb.
1. V.
2. V.
Br.
Vo.
Kb.
a 2.
Largo con duolo.
Fl.
Hb.
E. H.
Kl.
Fg.
espressivo
p espressivo
(gestopft)
Hr. (F)
Muta in D.
Tps.
1. V.
2. V.
Br.
Vo.
Kb.

417
Fl.
Hb.
E.H.
Kl.
espressivo
Fg.
Hr.
1.2.
pp
1.V.
2.V.
pp
Br.
pp
Vc.
Kb.
M
Andante-Tempo di Marcia funebre.
Fg.
p
1.2.
Hr.
(F)
mf
in A.C.D.
Pk.
p
Gr.Tr.
p
p
1.V.
2.V.
Br.
Vc.
(mf)
div.
Kb.
mf
M

429
a 2.
Fg.
flamentoso
Muta in D.
Hr.
(F)
Pk.
Gr.Tr.
p
1.V.
2.V.
Br.
Vc.
Kb.
Den Rhythmus scharf markiert.
con Sordino
div.
mf
pizz.

442
Hb.
Fg.
1.V.
2.V.
Br.
Vc.
Kb.
cresc.
long
sf
dim.
senza Sordino
lamentoso
Fl.
Kl.
Den Rhythmus scharf markiert.
Den Rhythmus scharf markiert.

451
R. . . . . . . . . . . . .
Fl.
Hb.
E.H.
(p)
Kl.
Fg.
1. V.
2. V.
Br.
Vc.
Kb.
R. . . . . . . . . . . . .
molto lungo
1. V.
2. V.
Br.
poco rall. . . . .
Solo
Vc.
cresc. . . . .
rinf. e molto espressivo
arco
Kb.
molto lungo

N
Allegro marziale.
Kl.
1.2.
in D.
Hr. (D)
mp marcato
Pk.
pp
Sehr präzis im Rhythmus.
Mtr.
1.V.
2.V.
senza Sordino
Br.
(Tutti) pizz.
Vc.
(p)
pizz.
Kb.
N
Hb.
mp
Kl.
1.2.
Hr. (D)
Pk.
Mtr.
1.V.
2.V.
Br.
Vc. Kb.

471
Hb.
Kl.
1.2.
Hr. (D)
Pk.
Mtr.
1. V.
2. V.
Br.
Vc. Kb.
Hb.
Kl.
Fg.
(mp)
1.2.
Hr. (D)
Pk.
sempre pp
Die Triolen rhythmisch markiert.
Mtr.
sempre pp
mf
mf
mf
1. V.
2. V.
Br.
Vc. Kb.

479
Fl.
Hb.
Kl.
Hr.
(D)
1.2.
Pk.
Mtr.
1.V.
2.V.
Br.
Vc.
Kb.
div.
Fg.
Vo.
arco
(mf)

Von hier an bis zum Allegro trionfante das Tempo allmählich beschleunigen.

Von hier an bis zum Allegro trionfante das Tempo allmählich beschleunigen.

Kl.Fl.
Fl.
Hb.
E.H.
Kl.
Fg.
Hr. (D)
Muta in F.
Muta in F.
Tr. (D)
Tps.
Bps. Tb.
Pk.
Mtr.
1.V.
2.V.
Br.
Vc.
Kb.

495
Kl.Fl.
Fl.
Hb.
E. H.
Kl.
Fg.
Hr.
(F)
Tr.
(D)
Tps.
Bps.
Tb.
Pk.
Mtr.
1.V.
2.V.
Br.
Vc.
Kb.
cresc.

Kl.Fl.
Fl.
Hb.
E.H.
Kl.
Fg.
Hr.
(F)
Tr.
(D)
Tps.
Bps.
Tb.
Pk.
Mtr.
1.V.
2.V.
Br.
Vc.
Kb.

503
O
Kl.Fl.
Fl.
Hb.
E. H.
Kl.
a 2.
Fg.
a 2.
in F. a 2.
Hr. (F)
in F. a 2.
Tr. (D)
Tps.
Bps. Tb.
Pk.
Trgl.
Mtr.
arco
1. V.
arco
2. V.
arco
Br.
arco
Vo.
arco
Kb.
O

Kl.Fl.
Fl.
a 2.
Hb.
E. H.
Kl
Fg.
Hr.
(F.)
p
p marcato
Tr.
(D)
marcato
Tps.
Bps.
Tb.
Pk.
Trgl.
Bk.
1.V.
2.V.
Br.
Vc.
Kb.

515
Kl.Fl.
Fl.
Hb.
E.H.
Kl.
Fg.
Hr. (F)
Tr. (D)
Tps.
Bps. Tb.
Pk.
Trgl.
Mtr.
Bk.
1.V.
2.V.
Br.
Vc.
Kb.
a 2.
(p) cresc.
(II. p) cresc.
cresc.
(p)

Kl.Fl.
Fl.
Hb.
a 2.
p
E. H.
Kl.
a 2.
(p) cresc.
Fg.
a 2.
(p) cresc.
Hr.
(F)
cresc.
cresc.
Tr.
(D)
cresc.
(p)
Tps.
(II. p) cresc.
Bps.
Tb.
cresc.
Pk.
Trgl.
cresc.
Mtp.
p
Bk.
cresc.
1. V.
cresc.
2. V.
cresc.
Br.
cresc.
Vc.
cresc.
Kb.
cresc.

525
Kl.Fl.
Fl.
a 2.
Hb.
E. H.
Kl.
a 2.
Fg.
Hr.
(F)
Tr.
(D)
Tps.
Bps.
Tb.
Pk.
Trgl.
Mtr.
Bk.
1. V.
2. V.
Br.
Vc.
Kb.

Kl.Fl.
Fl.
Hb.
E. H.
Kl.
Fg.
Hr. (F)
Tr. (D)
Tps.
Bps. Tb.
Pk.
Trgl.
Mtr.
Bk.
1.V.
2.V.
Br.
Vc.
Kb.
a 2.
(p) cresc.
cresc.
(II. p) cresc.

535
stringendo
Kl.Fl.
Fl.
a 2.
Hb.
E. H.
Kl.
Fg.
Hr. (F)
Tr. (D)
Tps.
Bps. Tb.
Pk.
mf marcato
Mtr.
Gr.Tr.
1. V.
2. V.
Br.
Vc.
Kb.
stringendo

Kl.Fl.
Fl.
a 2.
(p) cresc.
Hb.
a 2.
cresc.
E. H.
(p) cresc.
Kl.
(p) cresc.
Fg.
Hr.
(F)
Tr.
(D)
Tps.
Bps.
Tb.
Pk.
tr
cresc.
Gr.Tr.
cresc.
1.V.
cresc.
2.V.
cresc.
Br.
cresc.
Vc.
cresc.
Kb.
cresc.

547
P
Kl.Fl.
a 2.
Fl.
Hb.
E. H.
Kl.
Fg.
Hr. (F)
Tr. (D)
Tps.
Bps. Tb.
Pk.
1.V.
2. V.
Br.
Vc.
Kb.
P

Kl.Fl.
Fl.
Hb.
B. H.
Kl.
Fg.
Hr. (F)
Tr. (D)
Tps.
Bps. Tb.
Pk.
1. V.
2. V.
Br.
Vc.
Kb.
a 2.
sempre più rinforzando
ff

558
trillo
a 2.
(f)
Kl.Fl.
Fl.
Hb.
E.H.
Kl.
Fg.
Hr.
(F.)
Tr.
(D)
Tps.
Bps.
Tb.
Pk.
1.V.
2.V.
Br.
Vc.
Kb.

Allegro trionfante.
Kl.Fl.
Fl.
a 2.
Hb.
E. H.
Kl.
Fg.
Hr. (F)
Tr. (D)
a 2.
Tps.
Bps. Tb.
Pk.
Mtr.
Bk.
Gr.Tr.
1. V.
sempre staccato
2. V.
sempre staccato
Br.
sempre staccato
Vc.
sempre staccato
Kb.
sempre staccato

566
Kl.Fl.
a 2.
Fl.
Hb.
E.H.
Kl.
Fg.
Hr.
(F)
Tr.
(D)
a 2.
Tps.
Bps.
Tb.
Pk.
ff
Mtr.
Bk.
Gr.Tr.
1.V.
2.V.
Br.
Vc.
Kb.

Kl. Fl.
Fl.
a 2.
Hb.
E. H.
Kl.
Fg.
a 2.
Hr. (F)
Tr. (D)
Tps.
Bps. Tb.
Pk.
Mtr.
Bk.
Gr. Tr.
1. V.
2. V.
Br.
Vc.
Kb.

572
Kl.Fl.
a 2.
Fl.
Hb.
E. H.
Kl.
a 2.
Fg.
a 2.
Hr.
(F)
a 2.
Tr.
(D)
a 2.
Tps.
Bps.
Tb.
Pk.
Mtr.
Bk.
Gr.Tr.
1. V.
2. V.
Br.
Vc.
Kb.

Q
accelerando
Kl.Fl.
a 2.
Fl.
Hb.
E. H.
Kl.
a 2.
Fg.
a 2.
Hr.
(F)
a 2.
Tr.
(D)
a 2.
Tps.
Bps.
Tb.
Pk.
1.V.
2.V.
Br.
Vc.
Kb.
Q
accelerando

578
Stretto.
Kl.Fl.
a 2.
Fl.
Hb.
E. H.
Kl.
Fg.
Hr. (F)
a 2.
Tr. (D)
a 2.
Tps.
Brp. Tb.
Pk.
Mtr.
Bk.
Gr.Tr.
1.V.
2.V.
Br.
Vc.
Kb.
Stretto.

Kl.Fl.
a 2.
Fl.
Hb.
E. H.
Kl.
Fg.
Hr.
(E)
Tr.
(D)
Tps.
Bps.
Tb.
Pk.
Mtr.
Bk.
Gr.Tr.
1.V.
2.V.
Br.
Vc.
Kb.

586
Kl.Fl.
a 2.
Fl.
Hb.
E. H.
(ff)
Kl.
a 2.
Fg.
Hr. (F)
Tr. (D)
Tps.
Bps. Tb.
Pk.
Mtr.
Bk.
Gr. Tr.
1. V.
2. V.
Br.
Vc.
Kb.

Kl.Fl.
(ff)
Fl.
a 2.
Hb.
a 2.
E. H.
Kl.
a 2.
Fg.
a 2.
Hr.
(F)
a 2.
Tr.
(D)
Tps.
Bps.
Tb.
Pk.
1. V.
2. V.
Br.
Vc.
Kb.

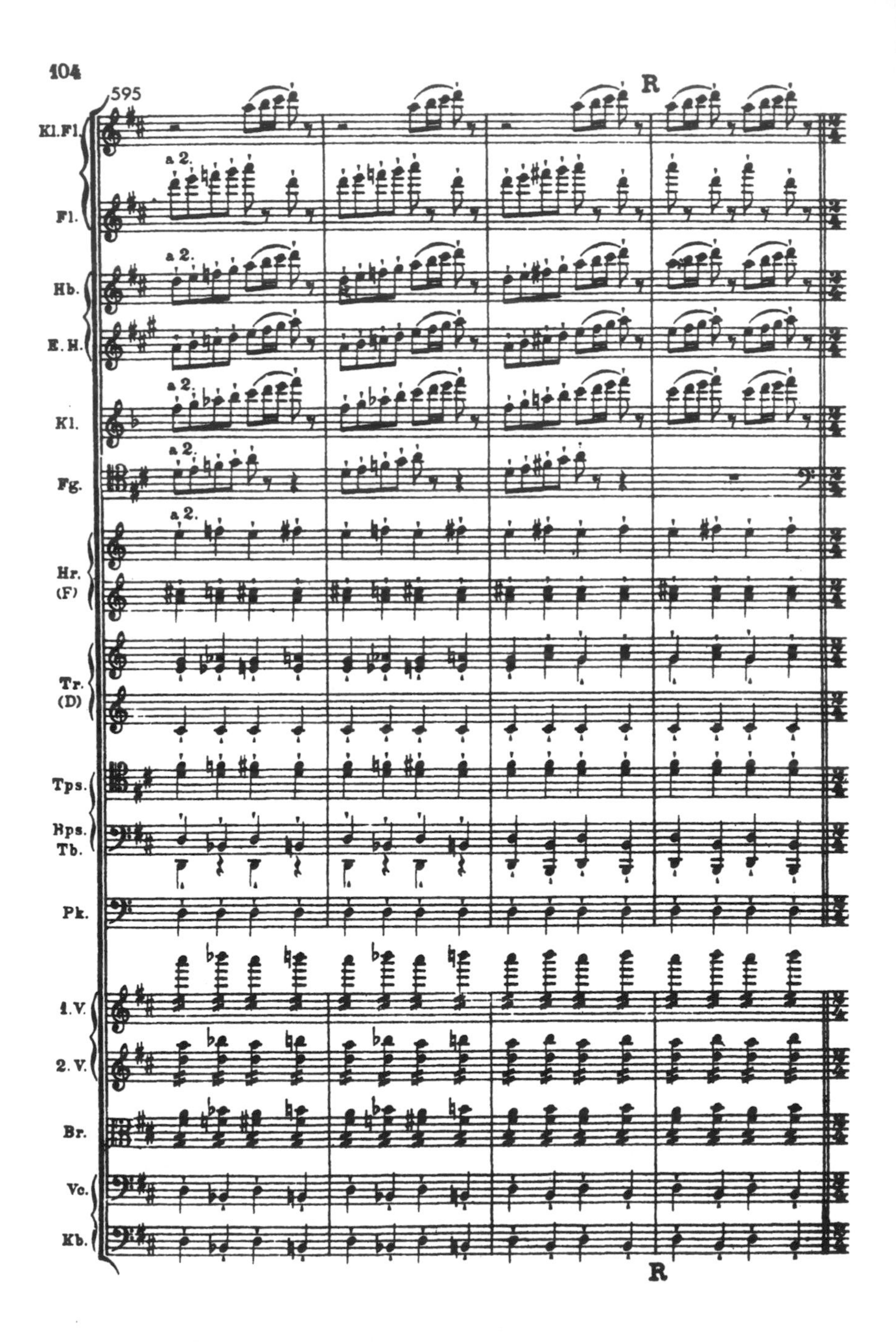
595
R
Kl.Fl.
a 2.
Fl.
Hb.
E. H.
Kl.
Fg.
Hr.
(F)
Tr.
(D)
Tps.
Hps.
Tb.
Pk.
1. V.
2. V.
Br.
Vc.
Kb.
R

Presto giocoso assai.

609
Kl.Fl.
a 2.
Fl.
Hb.
E. H.
Kl.
Fg.
Hr.
(F)
a 2.
Tr.
(D)
Tps.
Bps.
Tb.
Pk.
Bk.
1. V.
marcatissimo
2. V.
marcatissimo
Br.
marcatissimo
Vc.
Kb.

Kl.Fl.
a 2.
Fl.
a 2.
Hb.
E. H.
a 2.
Kl.
a 2.
Fg.
a 2.
a 2.
Hr. (F)
a 2.
Tr. (D)
Tps.
Bps. Tb.
Pk.
1.V.
2.V.
Br.
Vc.
Kb.

623
Kl.Fl.
Fl.
a 2.
Hb.
E. H.
Kl.
Fg.
Hr. (F)
Tr. (D)
Tps.
Bps. Tb.
Pk.
1.V.
2.V.
Br.
Vc.
Kb.

S
Kl.Fl.
a 2.
Fl.
Hb.
B. H.
Kl.
Fg.
Hr. (F)
Tr. (D)
Tps.
Bps. Tb.
Pk.
1. V.
2. V.
Br.
Vc.
Kb.
fff

637
Kl.Fl.
a 2.
Fl.
Hb.
E. H.
Kl.
a 2.
Fg.
Hr.
(F)
a 2.
Tr.
(D)
Tps.
Bps.
Tb.
Pk.
Bk.
Gr.Tr.
1.V.
2.V.
Br.
Vc.
Kb.

Kl.Fl.
Fl.
a 2.
Hb.
E. H.
Kl.
Fg.
Hr.
(F)
Tr.
(D)
Tps.
Bps.
Tb.
Pk.
Bk
Gr.Tr.
1. V.
2. V.
Br.
Vc.
Kb.

651
Kl.Fl.
Fl.
a 2.
Hb.
E. H.
Kl.
Fg.
a 2.
Hr.
(F)
a 2.
a 2.
Tr.
(D)
a 2.
Tps.
Bps.
Tb.
Pk.
Bk.
1. V.
2. V.
Br.
Vc.
Kb.
col legno
col legno
col legno
col legno

trillo
Kl.Fl.
a 2.
Fl.
Hb.
E. H.
Kl.
Fg.
Hr.
(F)
a 2.
Tr.
(D)
Tps.
a 2.
Bps.
Tb.
Pk.
Mtr.
(ff)
Bk.
Gr.Tr.
(ff)
1. V.
arco
2. V.
arco
Br.
arco
Vc.
arco
Kb.
arco

662
Kl.Fl.
Fl.
Hb.
E. H.
Kl.
Fg.
Hr.
(F)
a 2.
Tr.
(D)
a 2.
Tps.
Bps.
Tb.
Pk.
Mtr.
Bk.
Gr.Tr.
1. V.
2. V.
Br.
Vc.
Kb.

Kl.Fl.
Fl.
Hb.
E. H.
Kl.
Fg.
Hr. (F)
a 2.
Tr. (D)
a 2.
Tps.
Bps. Tb.
Pk.
Mtr.
1.V.
2.V.
Br.
Vc.
Kb.

670
Kl.Fl.
Fl.
Hb.
E. H.
Kl.
Fg.
Hr.
(F)
a 2.
Tr.
(D)
Tpe.
a 2.
marcatissimo
Bps.
Tb.
marcatissimo
Pk.
Trgl.
Mtr.
Bk.
Tm.
1.V.
2.V.
Br.
Vc.
Kb.

Kl.Fl.
Fl.
Hb.
E. H.
Kl.
Fg.
Hr. (F)
Tr. (D)
Tps.
Bps. Tb.
Pk.
Trgl.
Mtr.
Bk.
Gr.Tr.
1.V.
2.V.
Br.
Vc.
Kb.
a 2.
(ff)

# Kürzung I.

**Zur Kürzung (welche bei gewöhnlichen Aufführungen zweckmäßig ist) soll der ganze Durchführungssatz – vom Buchstaben I an bis zum Buchstaben N** *(Allegro marziale, D dur,* **Seite 77) – übersprungen werden; diese 6 Takte dienen dann zum Überleiten.**

Kl.Fl.
Fl.
a 2.
Hb.
Kl.
Fg.
Hr. (F)
Muta in D.
Tr. (F)
1. 2.
Pk.
in A. C. D.
1.V.
2.V.
Br.
Vc.
Kb.
Hierauf weiter zum Buchstaben N (Allegro marziale) Seite 77.

# Kürzung II.

**Nötigenfalls kann vom letzten Takt Seite 43 zum 1ten Takt (5♯) Seite 71 gesprungen werden, mit folgender Abänderung des letzten Taktes der Seite 43:**